MAMÓ AR AN FHEIRM

Mary Arrigan

a scríobh agus a mhaisigh

Fóirsteanach do leanaí ó 4 bliana go 7 mbliana d'aois

G AN GÚM
Baile Átha Cliath

'Tá lúcháir orm a bheith ag dul go dtí an fheirm,' arsa Mamó. 'Beidh mé ag obair go dian.'
Tá dungaraí gorm uirthi.

'Dia duit ar maidin, a Chearc,' arsa Mamó. 'Tá sicíní breátha dathúla agat.'
'Gog, gog,' arsa an Chearc.

Tá Mamó ag tabhairt a ndinnéir do
na muca.
'Mmmm. Nach bhfuil an bia seo
blasta?' arsa Mamó.
'Oinc, oinc!' arsa na muca.

'Tá na húlla seo réidh le baint,' arsa Mamó.
'Mo chloigeann bocht,' arsa an feirmeoir.

Tá Mamó ag dul a lomadh na gcaorach.

'Gabhaigí anseo,' arsa Mamó. 'Tá sé san am agaibh bearradh gruaige a fháil!'

'Mé, mé!' arsa na caoirigh.

Tá Mamó ag blí na mbó.
'Hup!' arsa Mamó. 'Cá bhfuil an
bainne?'
'Múú,' arsa an bhó. 'Cén sórt
feirmeora í seo?'

'Beidh siad agam do mo dhinnéar anocht,' arsa Mamó agus í ag baint na bprátaí.
'Beidh ocras mór orm.'

'Nach é atá galánta anois,' arsa Mamó agus ritheann sí ionsar an chapall eile. Tá eagla ar an chapall. 'Né, né!' ar seisean.

'Brrrrrmmmm, brrrmmm,' arsa
Mamó. 'Tá an tarracóir seo gasta. Fág
an bealach!'
'Coimhéad an cat!' a scairteann bean
an fheirmeora.

Tá Mamó ag déanamh a coda.
'Neam neam,' arsa Mamó. 'Tá an bia
go hiontach. Agus is ar an fheirm a
fuair mé gach rud.'